オールド・デリー
旧城に息づく路地と「ざわめき」
［モノクロノートブック版］

JN122300

ムガル帝国の王城（シャー・ジャハナーバード）として、17世紀、ジャムナ河の西岸に築かれたオールド・デリー。「七度の都」という名前をもち、歴史を通じてデリーに各王朝の都がおかれてきたが、ムガル帝国の王城ではジャムナ河の水利が利用でき、なおかつ雨季に氾濫が起きない西側の地が選ばれた。

　ムガル宮廷がおかれたラール・キラ、そこから西に一直線に伸びる目抜き通りのチャンドニー・チョウク。積み

あげられた香辛料や衣類、雑貨がならぶなか、牛が悠然と歩を進めるといった姿も見られ、街は古い城下町の面影を残している。

　かつてムガル皇帝が君臨したこの都も、1857年に起こったインド大反乱を機に支配者がイギリスへと交代した。この都の南に新しいデリー（ニュー・デリー）が築かれ、シャー・ジャハナーバードはオールド・デリーと呼ばれるようになって今にいたる。

Asia City Guide Production
North India 003
Old Delhi
पुरानी दिल्ली/ਪੁਰਾਣੀ ਦਿੱਲੀ/پرانی دلی

まちごとインド │ 北インド 003

オールド・デリー

旧城に息づく路地と「ざわめき」

「アジア城市（まち）案内」制作委員会
まちごとパブリッシング

Contents

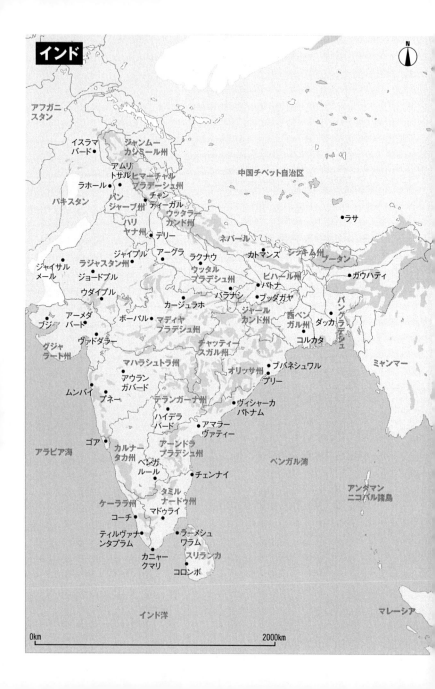

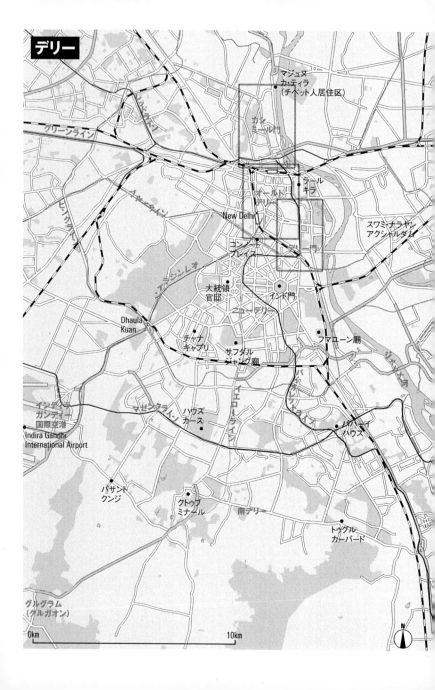

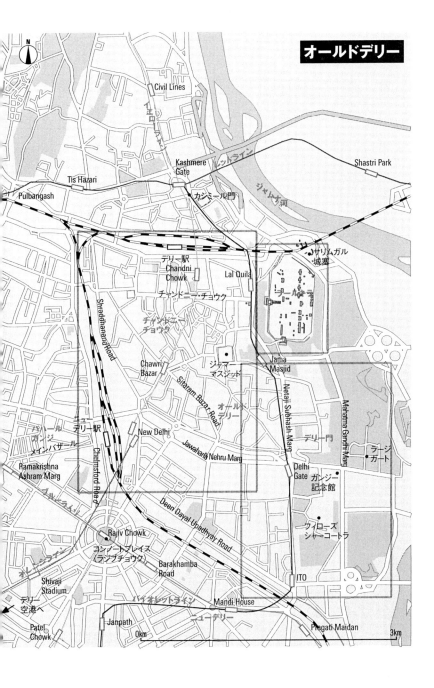

★★★
ラール・キラ *Lal Qila*
チャンドニー・チョウク *Chandni Chowk*
ジャマー・マスジッド *Jamma Masjid*
★★☆
サリムガル城塞 *Salimgarh Fort*
ラージ・ガート *Raj Ghat*
★☆☆
ガンジー記念館 *Gandhi Memorial Museum*
カシミール門 *Kashimir Gate*
マジュヌ・カ・ティラ（チベット人居住区） *Majnu Ka Tilla*
ジャムナ河 *Jamuna River*
フィローズ・シャー・コートラ *Firoz Shah Kotla*

喧騒と宮廷文化が残る街

ジャムナ河畔に位置するオールド・デリー
それは周囲に城壁をめぐらせた扇形のムガル旧城
古い街並みを残す路地が続く

オールド・デリーのはじまり

現在のオールド・デリーは、17世紀にムガル帝国第5代シャー・ジャハーン帝が主要都市アーグラとラホール、アジメールを結ぶ地に築いたシャー・ジャハナーバードをはじまりとする。デリーでは少数のムガル（イスラム教徒）が住民の大多数を占めるヒンドゥー教徒を統治するという状況が19世紀まで続いた。そのためヒンディー語にペルシャやアラビアの語彙がまじって発展したウルドゥー語（パキスタンの公用語）、ムガル帝国の宮廷料理として発展したタンドリーチキン、キーマカレーなどの料理（ヒンドゥー教徒は動物性タンパク質をあまりとらない）がデリーの文化として残ることになった。

オールド・デリーの構成

扇型のプランをもつオールド・デリーの頂点に宮殿が築かれ、そこから帝国の主要都市ラホールに向かって道路チャンドニー・チョークが整備された。周囲に城壁をめぐらせた街なかにはバザールや人々の住居、礼拝のためのモスク、キャラバン・サライなどが配置された（城壁は現在、とり除かれほとんど残っていない）。城内と城外をわける城門

は、北のカシミール門、西のラホール門、南西のアジメール門というように名前がつけられ、それぞれ帝国の主要都市に向かって街道が伸びていた。南側のデリー門がオールド・デリーとニュー・デリーを結んだほか、トルコマン門は13世紀にこの近くで庵を結んでいたイスラム聖者シャー・トゥルコマーンに由来するという。

4つの言葉、3種類の文字

オールド・デリーを彩る看板では、ヒンディー語の「デーヴァナーガリー文字」、英語の「アルファベット」、ウルドゥー語の「アラビア文字」といった3種類の文字が確認できる。これらの文字は北インドの多くを占めるヒンディー話者、中世以来統治者にあったイスラム教徒のウルドゥー話者、近代インドを植民地化したイギリスという3つの要素を伝えている（デリーという地名は、ウルドゥー語でインド各地への「門」を意味する）。またデリーでは、パキスタンへ続くパンジャーブ州地方の言葉パンジャーブ語も話されているため、ヒンディー語、ウルドゥー語、パンジャーブ語、英語の4つの言葉が交通表記に併記されている。

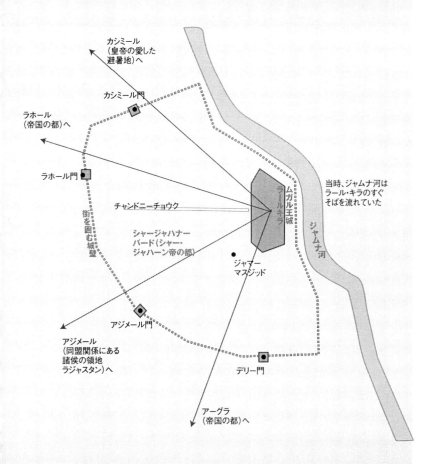

シャージャハナーバード
(17世紀のオールド・デリー)

カシミール
(皇帝の愛した
避暑地)へ

カシミール門

ラホール
(帝国の都)へ

ラホール門

街を囲む城壁

チャンドニーチョウク

シャージャハナー
バード(シャー・
ジャハーン帝の都)

ジャマー
マスジッド

ムガル王城
ラール・キラ

当時、ジャムナ河は
ラール・キラのすぐ
そばを流れていた

ジャムナ河

アジメール門

アジメール
(同盟関係にある
諸侯の領地
ラジャスタン)へ

デリー門

アーグラ
(帝国の都)へ

『シャージャハーナバードの都市のパターン』
(飯塚キヨ/SD)掲載図をもとに作成

N

ジャマー・マスジット近くの人気カレー店カリーム・ホテル

ムガル帝国時代以来の伝統をもつチャンドニー・チョウク

Lal Qila

ラールキラ鑑賞案内

タージ・マハル造営で知られるシャー・ジャハーン帝
その後世、アーグラ城に代わる都として造営された
ジャムナ河畔に立つ赤砂岩の城塞

ラール・キラ ★★★

Lal Qila / ⓔ लाल किला ⓗ লাল কিল্লা ⓤ لال قلعه

　扇状に広がるオールド・デリーの要に位置するムガル
王城ラール・キラ。第5代シャー・ジャハーン帝の時代、南
アジア全域に広がった領土を統括するのにふさわしい宮
廷として造営された。1648年の完成から200年にわたっ
てムガル王族が暮らし、「至高の陣営」と呼ばれて地上の
天国にもたとえられていた(17世紀、ムガル帝国の富や繁栄は、イ
ンドのみならずヨーロッパにまで響き、各国の使節や商人がデリーを訪れ
ていた)。サリームガル城塞とともに世界遺産にも登録さ
れている。赤砂岩をもちいて造営されているところから、
「赤い城」という意味の名前をもち、イギリス統治時代に
英語でレッド・フォート(赤い城)と呼ばれていた。

ラホール門 ★★☆

Lahore Gate / ⓔ लाहौर दरवाजा ⓗ লাহৌরী গেট / ⓤ لاہوری دروازہ

　ラール・キラの正門にあたるラホール門。この門で独立
式典が行なわれるなど、政治家が民衆に語りかける象徴
的な意味あいをもつ門となっている。

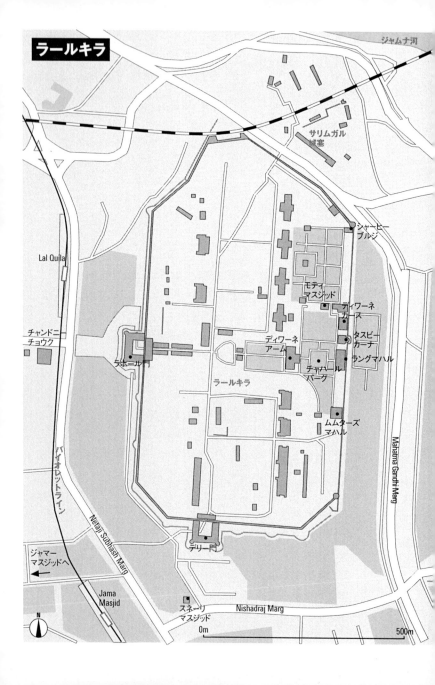

ラールキラ

ジャムナ河

サリムガル城塞

シャーヒー
ブルジ

Lal Quila

チャンドニー
チョウク

モティ
マスジッド

ディワーネ
カース

ディワーネ
アーム

タスビー
カーナ

ラングマハル

ラホール門

チャハール
バーグ

ラールキラ

ムムターズ
マハル

Mahatma Gandhi Marg

バイオレットライン

デリー門

ジャマー
マスジッドへ

Netaji Subhash Marg

Jama
Masjid

スネーリ
マスジッド

Nishadraj Marg

N

0m   500m

ディワーネ・アーム（公的謁見殿）★★☆

Diwan-e Am ⓗ दीवान-ए-आम／ⓐ ਦਿਵਾਨ ਏ ਆਮ (ਆਮ ਜਨਤਾ ਦਰਬਾਰ)
ⓤ دیوان عام

　歴代ムガル皇帝が臣下と謁見を行なったディワーネ・アーム。謁見は毎朝行なわれ、らくだや象のパレードが見られた（死刑の執行もなされたという）。

ラング・マハル ★☆☆

Rang Mahal／ⓗ रंगमहल／ⓐ ਰੰਗ ਮਹਿਲ／ⓤ رنگ محل

　ムガル皇帝の第一夫人が暮らしたラング・マハル。第一夫人は宦官とともに後宮をとり仕切る立場にあり、当時、壁面に装飾がほどこされ、「彩りの間」と呼ばれていた。

タスビー・カーナ ★☆☆

Tasbih-Khana ⓗ तसबीह खाना　ⓐ ਤਸਬੀਹ-ਖਾਨਾ／ⓤ تسبیح خانہ

　ディワーネ・カースとラング・マハルのあいだに位置するタスビー・カーナ（この3つをあわせてカース・マハルと呼ばれる）。皇帝たちが私的な生活を送ったところで、白大理石の壁面には美しい装飾がほどこされている。

★★★
ラール・キラ *Lal Qila*
チャンドニー・チョウク *Chandni Chowk*

★★☆
ラホール門 *Lahore Gate*
ディワーネ・アーム（公的謁見殿） *Diwan-e Am*
ディワーネ・カース（私的謁見殿） *Diwan-e Khas*
サリムガル城塞 *Salimgarh Fort*

★☆☆
ラング・マハル *Rang Mahal*
タスビー・カーナ *Tasbih-Khana*
モティ・マスジッド *Moti Masjid*
チャハール・バーグ *Chahar Bagh*
シャーヒー・ブルジ *Shahi Burj*
ムムターズ・マハル *Mumtaz Mahal*
スネーリ・マスジッド *Sunehri Masjid*
ジャムナ河 *Jamuna River*

ディワーネ・カース(私的謁見殿) ★★☆
Diwan-e Khas ／ⓔ दीवान-ए-ख़ास ／ⓗ दीवान-ऐ ख़ास (निजी दरबार) ／ⓤ دیوانِ خاص

　ムガル皇帝が皇帝の執務をとり、夜の晩餐が行なわれたディワーネ・カース。白大理石の美しい宮殿には「もし地上に天国ありとせば、そはこれなり、そはこれなり、そはこれなり」というペルシャ語の文言が残る。ムガル時代はサファイア、ルビー、エメラルドなどの宝石で飾られた皇帝が坐する「孔雀の玉座」があったが、1739年、ペルシャのナーディル・シャーに略奪され、現在はイランの博物館に保管されている。

モティ・マスジッド ★☆☆
Moti Masjid ／ⓔ मोती मस्जिद ／ⓗ मोती मस्जिद ／ⓤ موتی مسجد

　「真珠のモスク」の名で知られる白大理石製のモティ・モスク。ラール・キラで暮らすムガル王族専用の礼拝所だった。1659年、敬虔なイスラム教徒であった第6代アウラングゼーブ帝によって建立された。

チャハール・バーグ ★☆☆
Chahar Bagh ／ⓔ चार-बाग ／ⓗ चहर बाग़ ／ⓤ چہارباغ

　十字型の水路で四分割されたペルシャ様式の庭園チャハール・バーグ。そこでは『コーラン』で示された楽園が表現されていて、初代バーブル帝の時代から、ムガル庭園ではかかせない様式となった。

シャーヒー・ブルジ ★☆☆
Shahi Burj ／ⓔ शाह बुर्ज ／ⓗ शाही बुरज (शाही मीनार) ／ⓤ شاہی برج

　ラール・キラの北東に立つ八角形の塔シャーヒー・ブルジ。シャー・ジャハーン帝の執務室がおかれ、皇帝の側近が呼ばれて重要な会議が行なわれたという。ムガル帝国の時代、この塔のすぐ東側にジャムナ河が流れていた。

ラホール門を抜けたところには露店がならぶ

世界遺産にも指定されているラール・キラ(ラホール門)

白大理石製のモティ・マスジッド

ディワーネ・アームは皇帝が人々に謁見した場所

ムムターズ・マハル ★☆☆

Mumtaz Mahal ⓣ मुमताज़ महल／ⓗ मुमताज़ महिल　ⓤ ممتاز محل

　ムガル宮廷に仕える女性が暮らした宮殿。タージ・マハルに眠るムムターズ・マハルに由来する。現在は博物館となっていて、ムガル芸術や装飾品の展示が見られる。

サリムガル城塞 ★★☆

Salimgarh Fort／ⓣ सलीमगढ़ किला　ⓗ सलीमगढ किला्　ⓤ قلعه سليمگر

　ラール・キラ北側、ジャムナ河に臨むサリムガル城塞。16世紀、中世インドを支配したスール朝のイスラム・シャーがムガル帝国の反撃を恐れてここに要塞を築いたことではじまった(いったんムガルからインドの覇権を奪っていたが、ムガル第2代フマユーン帝がスール朝を破ってデリーの主となった)。第6代アウラングゼーブ帝の時代には牢獄として利用されていたという。現在、ラール・キラとともに世界遺産に指定されていて、城内は博物館となっている。

オールド・デリー／旧城に息づく路地と「ざわめき」

チャンドニーチョウク
城市案内

香辛料が積みあげられたバザール
行き交うリキシャや客引き
人々の営みは絶えることがない

チャンドニー・チョウク ★★★

Chandni Chowk ⓗ चांदनी चौक ⓝ चांदनी चौक／ⓤ چاندنی چوک

　かつてのムガル王城ラール・キラから西に向かって
まっすぐ伸びるチャンドニー・チョウク。ムガル帝国時
代、この街の建設にあたって、目抜き通りとして用意さ
れ、長さは1.4kmになる。ムガル帝国時代からの伝統を受
け継ぐ通りには、金銀細工や雑貨、宝石を売る店などがひ
しめいていて、チャンドニーとは「月光」を意味し、この通
りにある八角形の広場チャンドニー・チョウク(「月光の市
場」)に由来する。商人や買い物客でにぎわうデリーを代
表する通りとして下町の風情を今に伝えている。

リキシャとは

　デリーの街を走るリキシャは、明治時代の日本で生ま
れ、上海からアジア各地に広まった人力車を源流とする。
かつては車夫(リキシャワーラー)が実際に二輪車を引いてい
たが、1940年代に自転車を使ったサイクル・リキシャが
デリーに登場し、やがてオート・リキシャへと発展を遂げ
た。細い路地に多くの人や動物の行き交うインドにあっ
て、リキシャは少しの距離から手軽に乗れる乗りものと
して重宝されている。

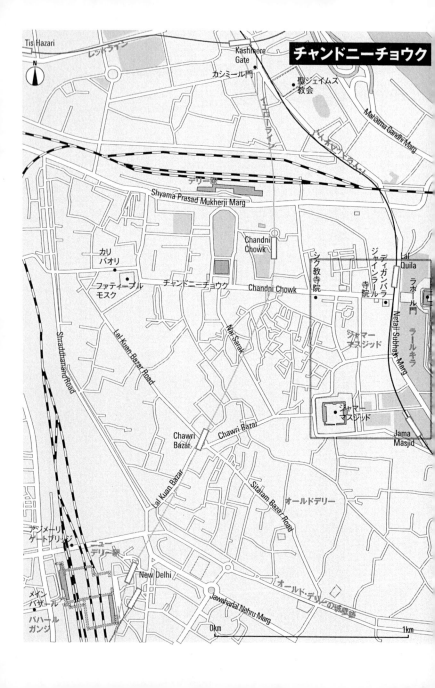

チャンドニーチョウク

さまざまな宗教が混在

ファテープル・モスクがラール・キラと向き合うように西端に立つほか、チャンドニー・チョウク沿いにはさまざまな宗教の混在するインドを象徴するようにジャイナ教寺院、シク教寺院も見られる。ジャイナ教は仏教と同じ紀元前5世紀ごろにガンジス河中流域で生まれたインド固有の宗教で、非暴力、無所有などを柱として2500年に渡って持続してきた。一方、グル・ナナク(1469～1538年)を開祖とするシク教は、ヒンドゥー教とイスラム教を融合して生まれ、ターバン姿の男性で知られる。

インド人の生活ぶりを映すバザール

チャンドニー・チョウク近くにはいくつものバザールが走っていて、バザールごとにとり扱う品に特徴がある。花がならぶフゥルキマンディ・バザール、宝石、貴金属を扱うジョウリィ・バザールのほかにも、刺繍入りのサリーや綿製品などインド人の生活にかかせないものがならぶ。道端の物売り、積みあげられた香辛料、交差点で待つリキシャ、客引き、喜捨をねだる人、そのあいまをゆっくりと牛が進むというような風景が広がる。

★★★
チャンドニー・チョウク *Chandni Chowk*
ジャマー・マスジッド *Jamma Masjid*
ラール・キラ *Lal Qila*
★★☆
ラホール門 *Lahore Gate*
★☆☆
ディガンバラ・ジャイン・ラール寺院 *Digambar Jain Lal Temple*
グルドワーラー(シク教寺院) *Gurdwara*
ファティープル・モスク *Fatehupuri Masjid*
カリ・バオリ *Khari Baoli*
カシミール門 *Kashimir Gate*

黄金に輝くドームはシク教寺院

猛烈な量の荷物が運ばれる

チャンドニー・チョウクの西端に位置するファティープル・モスク

ヒンドゥー教やジャイナ教、さまざまな宗教が混在する

道端では野菜が売られていた

ディガンバラ・ジャイン・ラール寺院 ★☆☆

Digambar Jain Lal Temple ／ ⓔ दिगंबर जैन लाल मंदिर ／ ⓗ जैन मंदिर

ⓤ ڈگمبر جین لال مندر

　ラール・キラ近くに立つジャイナ教空衣派の寺院。ジャイナ教は仏教とともに古代インドで成立した宗教で、不殺生や無所有などの教義をもつ。信徒はインド全人口の0.5%に過ぎないが、信者間の連帯が強く、商業でも成功している人が多い。空衣派(裸形派)は無所有の考えを突きつめたことから、一糸まとわぬ裸で生活していたが、中世のイスラム教徒の侵入以降、公的にはそれが禁止された。

グルドワーラー (シク教寺院) ★☆☆

Gurdwara ／ ⓔ ਗੁਰਦੁਆਰਾ ／ ⓗ गुरुद्वारा ／ ⓤ گوردوارہ

　グルドワーラーはヒンドゥー教とイスラム教を融合したシク教の寺院で、第9代グルが1675年、アウラングゼーブ帝に処刑された場所に立つ。18〜19世紀にかけてムガル帝国が衰退すると、パンジャーブからシク教徒がデリーへ進出し、チャンドニー・チョウクにシク教寺院を建立した。金色の屋根をもつ寺院ではシク教の聖典『グル・グラント・サーヒブ』が読まれ、シク教徒が訪れている。

グルの殉死

　ムガル帝国全盛期には異なる宗教の融和策がとられていたが、第6代アウラングゼーブ帝は熱心なスンニ派イスラム教徒でシク教は弾圧の対象になった。皇帝はシク教の指導者第9代グル・テーグ・バハードゥルの前で「イスラム教に改宗すればどんな願いでも叶えよう」と迫ったがグルはその要求をこばんだ。アウラングゼーブ帝は彼の目の前で弟子を拷問し、さらにグルをも拷問したが、自らの信仰を曲げることなく、殉死することになった。第9代グルの死は、続く第10代グル・ゴーヴィンド・シング時代

にシク教徒が武装化し、やがて彼ら自身の国家をつくることにつながっていった。

ファティープル・モスク ★☆☆

Fatehupuri Masjid／ⓗ फ़तेहपुरी मस्जिद　ⓝ दतेहपुरी मसजिद
ⓤ فتح پوری مسجد

　チャンドニー・チョウクの西端にラール・キラと向かいあうように立つファティープル・モスク。1650年、シャー・ジャハーン帝の妃のひとりファテプリ・ベガムによって建てられた。チャンドニー・チョウクはこの門で折れて通りの名前を変え、道は西へ伸びている。

カリ・バオリ ★☆☆

Khari Baoli／ⓗ खारी बावली　ⓝ खारी बाउली　ⓤ کھاری باولی

　カリ・バオリはチャンドニー・チョウクの西側を走る問屋街で、ターメリックやカルダモン、胡椒などのスパイス、穀物、お茶など各種のマーケットがならぶ。南アジア最大規模のスパイス・マーケットとして知られ、多くの荷物を載せた車が行き交い、1日中多くの人でにぎわう。

空き地を利用したミーナ・バザール

遠くにラール・キラが見える、チャンドニー・チョウクにて

ウルドゥー・バザールでは、中世以来のイスラムの伝統が残る

Jamma Masjid

ジャマーマスジッド
鑑賞案内

インド最大規模をほこるジャマー・マスジッド
巨大なドームをならべるその威容
傑作のムガル建築

ジャマー・マスジッド ★★★

Jamma Masjid ⒣जामा मस्जिद／Ⓝ जाभा भमजिन Ⓤﺟﺎﻣﻊﻣﺴﺠﺪ

　オールド・デリーのほぼ中央、高さ10m弱の小高い丘に
そびえるジャマー・マスジッド。この地にムガル帝国の新
たな都を造営したシャー・ジャハーン帝の命で1644年に
着工し、完成するまでに14年のときを要した（イスラム教徒
であったムガルにとってモスクは一番に必要なものだった）。王城ラー
ル・キラと向きあうように建ち、赤砂岩の本体に白大理石
製のドームが3つ載るムガル建築様式をもつ。礼拝堂は幅
60m、奥行き36mでその前面の中庭では2万5000人が集
団礼拝を行なえる。またミナレット上部にあがることが
でき、そこからオールド・デリーの街が一望できる。モス
クへ向かって三方向に石段が伸びていて、礼拝へ向かう
イスラム教徒や談笑する人々の姿がある。

連なる白大理石のドーム

Dome／⒣गुंबद　Ⓝ गुंबद／Ⓤﮔﻨﺒﺪ

　ジャマー・マスジッドの象徴とも言える3つならんだ白
大理石製のドーム。天空に浮かぶたまねぎ型のドームで
は、レンガを積みあげて互いに力を押しあうことで保つ
という技法がもちいられている（古代ペルシャで育まれた）。

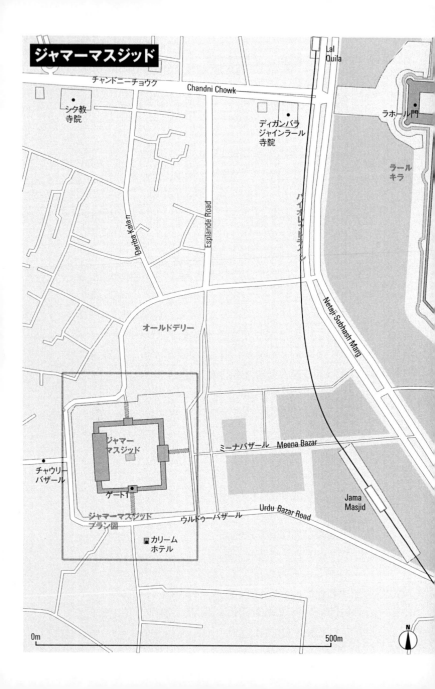

ジャマーマスジッド

チャンドニーチョウク　Chandni Chowk

Lal Quila

シク教寺院

ディガンバラジャインラール寺院

ラホール門

ラールキラ

Dariba Kalan

Esplande Road

Netaji Subhash Marg

オールドデリー

ジャマーマスジッド

ミーナバザール　Meena Bazar

チャウリーバザール

ゲート1

Jama Masjid

ジャマーマスジッドプラン図

ウルドゥーバザール　Urdu Bazar Road

カリームホテル

0m　　　　　　　　　　　　　　　　　　　　500m

N

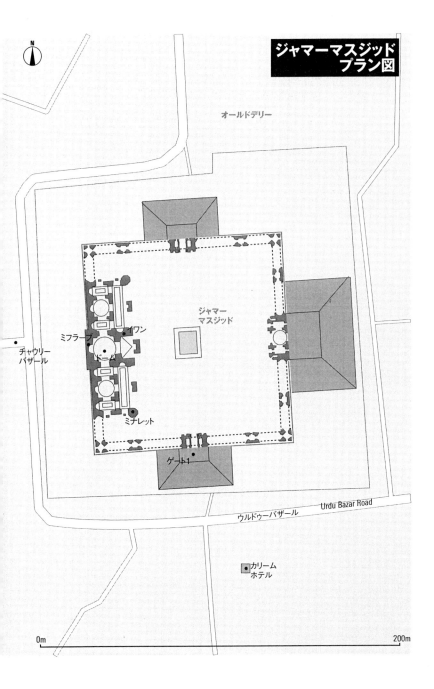

N

ジャマーマスジッド プラン図

オールドデリー

ジャマー
マスジッド

ミフラーブ　　イワン

チャウリー
バザール

ミナレット

ゲート1

ウルドゥーバザール　Urdū Bazar Road

カリーム
ホテル

0m　　　　　　　　　　　　　　　　　　　　200m

内部へ誘うイワン

Iwan／ⒽⒽ इवान　Ⓝ ਇਿਵਾਨ　Ⓤ ایوان

　モスク入口と礼拝堂への入口に備えられたイワン。外部から内部へ空間をつなぐ門の役割を果たしている。この様式はモスクのほか宮殿などイスラム世界で広く見られる。

本体脇にそびえるミナレット

Minaret／Ⓗ मीनार　Ⓝ ਮੀਨਾਰ　Ⓤ مینار

　モスク本体(礼拝堂)の左右にそびえる高さ39mのミナレット。ここからは礼拝への呼びかけを行なうアザーンが流れるほか、モスク建築の装飾的な要素もある。

聖地メッカを示すミフラーブ

Mihrab　Ⓗ मिहराब　Ⓝ ਮਿਹਰਾਬ　Ⓤ محراب

　ミフラーブは聖地メッカへの方角を示す印で、イスラム教徒は1日に5回、メッカに向かった礼拝を行なう。モスクの中心的な存在となっている。

超巨大建築の登場

　12世紀、クトゥブッディーン・アイバクがイスラム勢力としてはじめてデリーで支配体制を整えて以降、この街にはモスクや宮殿などのイスラム建築が建てられるよ

★★★
ジャマー・マスジッド Jamma Masjid
チャンドニー・チョウク Chandni Chowk
ラール・キラ Lal Qila
★★☆
ラホール門 Lahore Gate
★☆☆
ウルドゥー・バザール Urdu Bazar
ミーナ・バザール Meena Bazar
ディガンバラ・ジャイン・ラール寺院 Digambar Jain Lal Temple
グルドワーラー(シク教寺院) Gurdwara

ジャマー・マスジッドはインドでも最大規模のモスク

祈る人、モスクは神聖な空間

オールド・デリーの雑踏のなかに立つ

均整のとれた左右対称の美を見せる

うになった(南デリーのクトゥブ・ミナールなど)。こうしたそれ
までのイスラム建築とムガル建築が違うところは、ジャ
マー・マスジッドやタージ・マハルで見られるようにその
巨大さと赤砂岩と白大理石をもちいた重厚さにあるとい
う。これらの建築様式はペルシャで発展したもので、ムガ
ルによる支配とともにインドにも広まった。17世紀、ムガ
ル宮廷を訪れたフランス人ベルニエは、当時のヨーロッ
パ人の常識とは大きく違う建築ジャマー・マスジッドを
「全て実に当を得た、統一の取れた、釣り合いの良いもの」
と記している。

ウルドゥー・バザール ★☆☆

Urdu Bazar ／ ⓗ उर्दू बाज़ार ／ⓟ ਉਰਦੂ ਬਜ਼ਾਰ ／ⓤ اردو بازار

　ジャマー・マスジッドの南に広がるウルドゥー・バザー
ル。ムガル帝国時代以前からの伝統をもつウルドゥー語
(パキスタンの公用語)の書籍、またヒンドゥー教徒が食べな
い牛肉料理を出す店などがならぶ。ウルドゥーとは「軍営
地」を意味し、このあたりはインド・イスラム文化を今に
伝えている。

ミーナ・バザール ★☆☆

Meena Bazar ⓗ मीना बाज़ार ⓟ ਮੀਨਾ ਬਜ਼ਾਰ ／ⓤ مینا بازار

　ジャマー・マスジットの東側に位置するミーナ・バザー
ル。日用雑貨や衣服などが売られる青空市場となってい
る。

Delhi Gate
デリー門城市案内

オールド・デリー南東に立つデリー門
この近くでガンジーやネルーが荼毘にふされ
現在もその記念碑が残っている

デリー門 ★☆☆
Delhi Gate ／ⓗ दिल्ली गेट ／ⓝ ਦਿੱਲੀ ਗੇਟ ／ⓤ دہلی گیٹ

オールド・デリーの南東部に残るデリー門。ムガル帝国時代、城壁で囲まれていたシャー・ジャハナーバードの南東門にあたり、ここから街道がアーグラへと伸びていた。

ダリヤ・ガンジ ★☆☆
Darya Ganj ／ⓗ दरियागंज ／ⓝ ਦਰਿਆ ਗੰਜ ／ⓤ دریا گنج

デリー門近くのオールド・デリー城内に位置するダリヤ・ガンジ。ジャムナ河畔の近くにあったことから「川の市場」を意味するこの名前がとられた。出版社や書店が集う本の街という顔をもち、古本や新本がならぶ市場も開催される。

スネーリ・マスジッド ★☆☆
Sunehri Masjid ／ⓗ सुनहरी मस्जिद ／ⓝ ਸੁਨਹਿਰੀ ਮਸਜਿਦ ／ⓤ سنہری مسجد

ラール・キラの南に立つスネーリ・マスジッド。18世紀、ペルシャから侵入したナーディル・シャーは、デリーで略奪を行ない、その様子をこのモスクの上部から眺めていたと伝えられる。このときムガル帝国の至宝である「孔雀の玉座」や「コーヘ・ヌール（ダイヤモンド）」が奪われている。

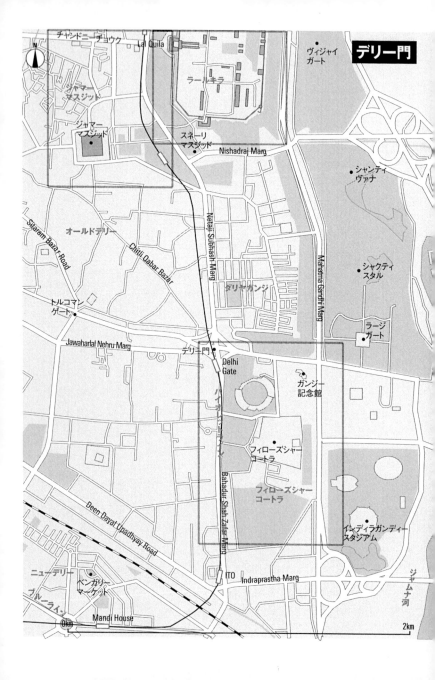

ラージ・ガート ★★☆

Raj Ghat ⓗराज घाट ⓗਰਾਜ ਘਾਟ ⓤ راج گهاٹ

　ジャマ河に臨むラージ・ガートは、「インド独立の父」ガンジーが過激派のヒンドゥー教徒に暗殺された後、茶毘にふされたところで、現在は静かな公園になっている。園内には黒大理石製の四角いモニュメントがおかれ、ガンジーを慕う人々による献花がたえない。イギリス領のインドは、1947年にインドと「イスラム教徒のインド」パキスタンに分離独立するが、ガンジーは指導者として独立を牽引し、現在でもインドの紙幣に描かれるなど尊敬を集めている。

インドを独立に導いたガンジー

　1869年、西インドに生まれたガンジーは、19歳のときにイギリスへ留学し、弁護士となってインドへ帰国した。その後、仕事で南アフリカを訪れたとき、インド人は歩道を歩けない、決められた車両に乗らなくてはならないといった現実を目のあたりにして、インド人の権利を守る運動をはじめた。インド帰国後、「塩の行進(イギリスに独占されていた塩の製造をインド人の手でつくる)」「糸車をまわして綿をつむぐ(インド綿イギリス綿製品の不買運動)」というように非暴力、不服従をかかげて、インド独立運動を行なった。ガン

ジーの思想は現代でも多くの人々の共感を呼び、インドではバプー（父）という愛称で親しまれている。

ガンジー記念館 ★☆☆

Gandhi Memorial Museum　Ⓔगांधी म्यूज़ियम／
Ⓝगांधी मेमोरीयल अजाहिब घर　Ⓤ‎گاندی یادگار‎

　ラージ・ガートのはす向かいに立つガンジー記念館。南アフリカ時代、インド帰国後の運動から独立にいたるまでのガンジーの生涯が展示で解説されている。またゆかりの品々がならび、ガンジーの殺害に使われた拳銃もある。

インド近現代史をたどる

　オールド・デリーの東側には、ガンジーやネルーなどインドの近現代史を牽引した人々にちなむ記念碑などが集中している。ガンジーの意思をついだ初代首相ネルーが茶毘にふされたシャンティ・ヴァナ、その娘で首相となったインディラ・ガンディーが茶毘にふされたシャクティ・スタル、母で首相だったインディラが暗殺された夜に第9代首相に就任したラジブ・ガンディーの記念館が残る。インディラとラジブは暗殺による死という不幸を負うことになったが、ネルーから親子3代、半世紀にわたってインドの指導的な立場にあったことから、この一族の統治をさしてネルー王朝と呼ばれる。またシャンティ・ヴァナの北側にはネルー死後の1964年から第2代インド首相をつとめたシャストリが茶毘にふされたヴィジャイ・ガートが位置する。

フィローズ・シャー・コートラに立つアショカ王の石柱

シャー・ジャハナーバードの南東城壁におかれていたデリー門

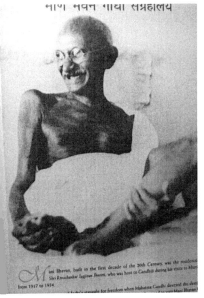

ガンジーは非暴力でインドを独立に導いた

ガンジーの最後の言葉「ヘイ・ラーム(ああ、神よ)」、ラージガートにて

フィローズシャーコートラ

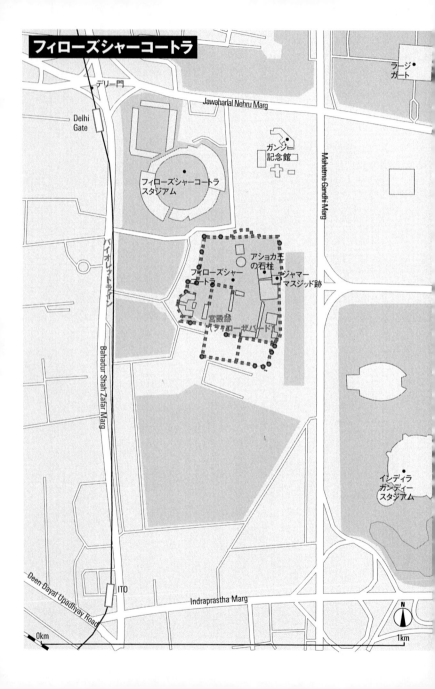

ラージ・ガート

デリー門

Jawaharlal Nehru Marg

Delhi Gate

ガンジー記念館

フィローズシャーコートラスタジアム

Mahatma Gandhi Marg

バイオレットライン

アショカ王の石柱

フィローズシャー・コートラ

ジャマーマスジッド跡

宮殿跡

クシュロー・ザバード

Bahadur Shah Zafar Marg

インディラガンディースタジアム

Deen Dayal Upadhyay Road

ITO

Indraprastha Marg

N

0km

1km

ジャムナ河 ★☆☆

Jamuna River ⓣ यमुना नदी ／ ⓗ ਜਮੁਨਾ ਨਦੀ ／ ⓤ جمنا دریا

　デリーのそばを流れてガンジス河に合流するジャムナ河。ガンジス河とならんで北インドを潤し、その聖性もガンジス河に準ずるという。デリーはこのジャムナ河による水利と恵みによって発展してきた街で、ヒンドゥー教ではジャムナ女神として神格化されている。オールド・デリー（シャー・ジャハナーバード）の造営にあたってはジャムナ河の雨季の氾濫にも耐えられる場所が選定されるなど、この河の流れはデリーの繁栄を左右するものだった。

フィローズ・シャー・コートラ ★☆☆

Firoz Shah Kotla ⓣ फिरोज शाह कोतला ／ ⓗ ਫਿਰੋਜ਼ ਸ਼ਾਹ ਕੋਤਲਾ ／ ⓤ فیروز شاہ کوتلا

　フィローズ・シャー・コートラは、14世紀、ムガル帝国に先んずるデリー・サルタナット朝（トゥグルク朝）の宮廷があったところで、宮殿やモスク、井戸などの遺跡が残っている。この宮廷を造営したフィローズ・シャーは、中世屈指の名君とたたえられる（先代のムハンマドが都をダウラタバードに遷すなど、デリーは混乱していた）。都フィローザバードが造営され、学校、宮殿、病院など多くの建築が建てられた。都はフィローズ・シャー・コートラを宮廷とし、広大な地域に及んでいたと考えられている。

★★☆
ラージ・ガート *Raj Ghat*

★☆☆
フィローズ・シャー・コートラ *Firoz Shah Kotla*
アショカ王の石柱 *Asoka Pillar*
ガンジー記念館 *Gandhi Memorial Museum*
デリー門 *Delhi Gate*

アショカ王の石柱 ★☆☆

Asoka Pillar／ⓔ अशोक स्तंभ／ⓗ ਅਸ਼ੋਕਾ ਪਿੱਲਰ／ⓞ اشوكا ستون

　フィローズ・シャー・コートラに残るアショカ王の石柱。「法の王」という名前で知られる、古代インドの名君マウリヤ朝のアショカ王。紀元前3世紀に今のインドよりも大きな版図を支配下におき、人々が生きる指針を刻んだ石碑が南インドからアフガニスタンに及ぶ広い地域で確認されている（バラナシ南のチュナールで制作され、ガンジス河やジャムナ河の水利を使って運ばれた）。現在、デリーにあるアショカ王の石柱は、フィローズ・シャーによってメーラト近く（デリーの北に位置する）にあったものがここに運ばれてきた。

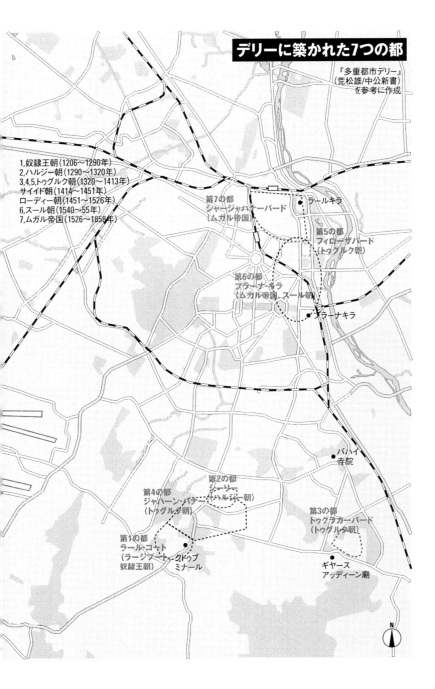

デリーに築かれた7つの都

『多重都市デリー』
（荒松雄/中公新書）
を参考に作成

1,奴隷王朝（1206〜1290年）
2,ハルジー朝（1290〜1320年）
3,4,5,トゥグルク朝（1320〜1413年）
サイイド朝（1414〜1451年）
ローディー朝（1451〜1526年）
6,スール朝（1540〜55年）
7,ムガル帝国（1526〜1858年）

第7の都
シャージャハナーバード
（ムガル帝国）

●ラールキラ

第5の都
フィローザバード
（トゥグルク朝）

第6の都
プラーナ・キラ
（ムガル帝国、スール朝）

●プラーナキラ

●バハイ
寺院

第2の都
シーリー
（ハルジー朝）

第4の都
ジャハーン・パナー
（トゥグルク朝）

第3の都
トゥグラカーバード
（トゥグルク朝）

第1の都
ラール・コート
（ラージプート・クトゥブ
奴隷王朝
ミナール）

ギヤース
アッディーン廟

N

カシミール門城市案内

オールド・デリーの北門だったカシミール門
ジャムナ河の流れのほとりには
チベット人居住区も見られる

カシミール門 ★☆☆

Kashimir Gate ⓗ कश्मीरी गेट ⓗ कश्मीरी गेट ⓤ کشمیری گیٹ

　オールド・デリーの北側カシミールの方角に立つカシミール門（第4代ジャハンギール帝はじめ歴代ムガル皇帝はカシミールを愛し、いくどとなく巡幸に訪れている）。1857年のインド大反乱のときにこの門付近で激戦があり、その傷跡が残るほか、この近くはイギリス軍の駐屯地となったところで、周囲には反乱鎮圧記念碑、聖ジェイムズ教会、裁判所などがもうけられた。

イギリス統治とダルバール

　ヴィクトリア女王がインド皇帝になることを宣言されるなど、厳かなダルバール（謁見）が行なわれた。ダルバールにあたってはインド中の藩王が集められ、1877年、1903年、1911年の三度にわたってイギリス統治の式典が行なわれた。1911年のダルバールでは、ジョージ5世のインド皇帝への即位とデリー遷都が宣言された。それを記念するコロネーション公園がある。

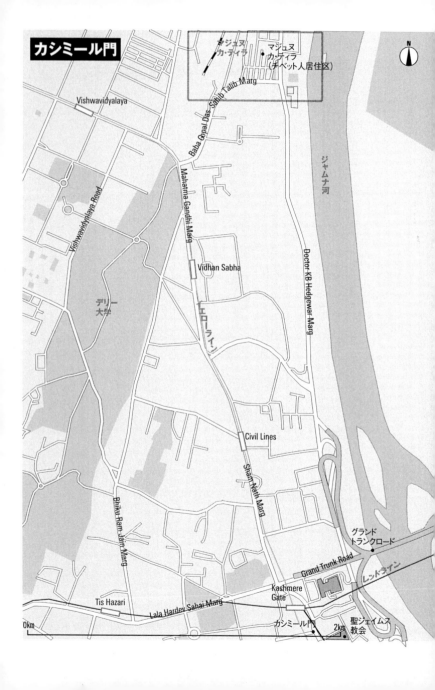

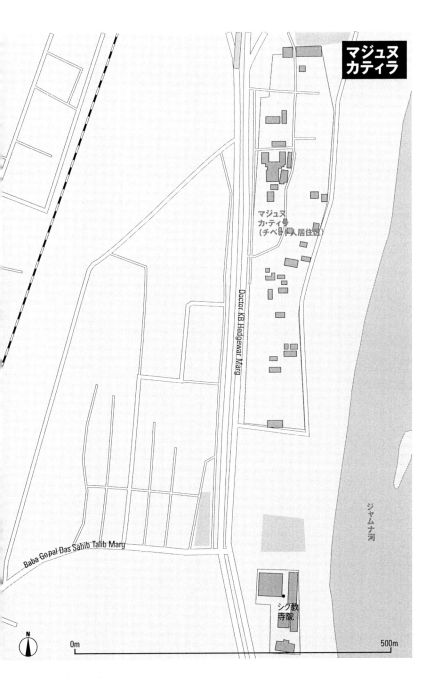

マジュヌ
カティラ

マジュヌ
カ・ティラ
(チベット人居住区)

Doctor KB Hedgewar Marg

Baba Gopal Das Sahib Talib Marg

ジャムナ河

シク教
寺院

N

0m   500m

グランド・トランク・ロード ★☆☆

Grand Trunk Road／ⓗ ਗ੍ਰੈਂਡ ਟ੍ਰੰਕ ਰੋਡ　ⓟ ਗ੍ਰੰਡ ਟਰੰਕ ਰੋਡ／ⓤ گرینڈ ٹرنک روڈ

　グランド・トランク・ロードは北インドを東西に結ぶ大
動脈で、ムガル帝国時代以来の伝統をもつ街道となって
いる（街道を整備し、交通の往来を促進することで経済発展が進んだ）。
この道はオールド・デリーの北側を走り、デリー東のアー
グラ、バラナシ、コルカタへ伸びるほか、北西のラホール
（パキスタン）からカブール（アフガニスタン）へ続き、南アジア
の諸都市を結んできた。

マジュヌ・カ・ティラ（チベット人居住区）★☆☆

Majnu Ka Tilla／ⓗ मजनू का तिल्ला／ⓟ ਤਿੱਬਤੀ ਨਿਵਾਸ ਮਜਨੂੰ ਕਾ ਟੀਲਾ／ⓤ مجنوں کا ٹیلہ

　オールド・デリー北側、ジャムナ河畔に位置するチベッ
ト人居住区。1959年のチベット動乱を機に、チベット最
高指導者ダライ・ラマはインドに亡命し、多くのチベット
人が続いた。このチベット人居住区はマジュヌ・カ・ティ
ラと呼ばれ、ラダック仏教寺院やチベット料理店がなら
ぶなどデリーのなかのチベットとも言える雰囲気をして
いる。

★☆☆
カシミール門 *Kashimir Gate*
グランド・トランク・ロード *Grand Trunk Road*
マジュヌ・カ・ティラ（チベット人居住区） *Majnu Ka Tilla*
ジャムナ河 *Jamuna River*

デリーでの足がわりになるオート・リキシャ

サイクル・リキシャで通学する子どもたち

インドでは動物と人が共生する

オールド・デリーではさまざまな文字の看板が見られる

17世紀からこの街を見守ってきたラール・キラ

移りゆく権力と赤砂城砦

1638年に着工し、1648年に完成したラール・キラ
ムガル最盛期に君臨した
シャー・ジャハーン帝の情熱が注がれた

ムガル権勢を示す赤い城

　オールド・デリーに都をおいたムガル帝国は、中央アジアの騎馬民族を出自とし、ペルシャ語で「モンゴル」を意味する(初代バーブル帝はチンギス・ハンとティムールの血をひく)。第3代アクバル帝、第4代ジャハンギール帝の時代にムガル帝国の繁栄は頂点をきわめ、続くシャー・ジャハーン帝の時代にタージ・マハル、ラール・キラなどの造営に帝国の莫大な資金が注ぎ込まれた。アーグラ城やバードシャーヒー・モスク(ラホール)などでも見られる、インドの赤砂岩と白大理石をもちいた巨大建築が次々に建てられることになった。シャー・ジャハーン帝はその後半生、息子のアウラングゼーブ(第6代皇帝)に幽閉されてしまったため、シャー・ジャハナーバードの完成を見ることなく、亡くなっている。

ムガル帝国の終焉

　18世紀になるとムガル帝国は弱体化する一方、1757年のプラッシーの戦い以後、イギリスがインド支配を強めるようになっていた。イギリスへの不満が高まるなか、1857年、デリー北部のメーラトに駐屯するセポイ(イギリ

ス軍に雇われたインド人傭兵）のあいだで、ヒンドゥー教徒やイスラム教徒が口にしてはならない牛やブタの脂が口でかみ切る銃の薬包に使われているという噂が流れた。任務を拒否して投獄されたセポイを他のセポイが救出したことでインド大反乱がはじまり、武装蜂起したセポイはムガル皇帝バハードゥル・シャー2世のいるデリーへ向かった。地方領主に過ぎなかったムガル皇帝はラール・キラでセポイたちと謁見し、イギリスに対する反乱軍の象徴として担ぎあげられた。やがてこの大反乱は鎮圧され、皇帝はミャンマーに流刑されて生涯を終えたことで、1862年、ムガル帝国は完全に滅亡することになった。やがてイギリスがインド支配を本格化し、コルカタからデリーへと支配拠点が遷された。

インド政治の象徴的な場

　200年に渡るイギリス統治をへて1947年8月15日に独立することになったインド。この独立にあたって、ガンジーやネルーが人々へ向けて演説を行なったのがラール・キラのラホール門で、以後、毎年8月14日深夜から8月15日にかけて、この場所で独立記念式典が行なわれている。インド首相が「ジャイ・インド（インド万歳）」と唱え、インド国歌の斉唱が行なわれる。ムガル帝国の宮廷から、イギリス植民地、新生インドと、ラール・キラはインド政治の変遷を見守り、その象徴的な場所となっている。

ムガル帝国の治世下でインド・イスラム文化が花開いた

参考文献

『多重都市デリー』(荒松雄/中央公論社)

『インド』(辛島昇/新潮社)

『北インド』(辛島昇・坂田貞二/山川出版社)

『インド建築案内』(神谷武夫/TOTO出版)

『世界の歴史14ムガル帝国から英領インドへ』(佐藤正哲、中里成章、水島司/中央公論社)

『都市形態の研究』(飯塚キヨ/鹿島出版会)

『中世インドの権力と宗教』(荒松雄/岩波書店)

『インド大反乱一八五七年』(長崎暢子/中央公論社)

『南アジアを知る事典』(平凡社)

［PDF］デリー地下鉄路線図http://machigotopub.com/pdf/delhimetro.pdf

［PDF］デリー空港案内http://machigotopub.com/pdf/delhiairport.pdf

OpenStreetMap

(C)OpenStreetMap contributors

オールド・デリー／旧城に息づく路地と「ざわめき」

まちごとパブリッシングの旅行ガイド

Machigoto INDIA , Machigoto ASIA , Machigoto CHINA

オールド・デリー／旧城に息づく路地と「ざわめき」

マカオ-まちごとチャイナ

Juo-Mujin（電子書籍のみ）

自力旅游中国Tabisuru CHINA

旅のインド文字

英語
ヒンディー語
パンジャーブ語
ウルドゥー語

英語 ＝ アルファベット
ヒンディー語 ＝ デーヴァナーガリー文字
パンジャーブ語 ＝ グルムキー文字
ウルドゥー語 ＝ ウルドゥー文字

オールド・デリー
Old Delhi

पुरानी दिल्ली

ਪੁਰਾਣੀ ਦਿੱਲੀ

پرانی دہلی

ラール・キラ
Lal Qila

लाल किला

ਲਾਲ ਕਿਲ੍ਹਾ

لال قلعہ

ラホール門
Lahore Gate

लाहौर दरवाजा

ਲਾਹੌਰੀ ਗੋਟ

لاہور دروازہ

ディワーネ・アーム（公的謁見殿）
Diwan-e Am

दीवान-ए-आम

ਦਿਵ੍ਹਾਨ ਏ ਆਮ

دیوان عام

ラング・マハル
Rang Mahal

रंगमहल

ਰੰਗ ਮਹਿਲ

رنگ محل

タスビー・カーナ
Tasbih-Khana

तस्बीह खाना

ਉਸਬੀਹ-ਖਾਣਾ

تاسبیہ کھانا

ディワーネ・カース（私的謁見殿）
Diwan-e Khas

दीवान-ए-खास

ਦੀਵਾਨ-ਏ ਖਾਸ

دیوان خاص

モティ・マスジッド
Moti Masjid

मोती मस्जिद

ਮੋਤੀ ਮਸਜਿਦ

موتی مسجد

チャハール・バーグ
Chahar Bagh

चार-बाग

ਚਹਰ ਬਾਗ਼ਾ

چارباغ

シャーヒー・ブルジ
Shahi Burj

शाह बुर्ज

ਸ਼ਾਹੀ ਬੁਰਜ

شاه برج

ムムターズ・マハル
Mumtaz Mahal

मुमताज़ महल

ਮੁਮਤਾਜ਼ ਮਹਿਲ

ممتاز محل

サリムガル城塞
Salimgarh Fort

सलीमगढ़ किला

ਸਲੀਮਗੜ ਕਿਲ੍ਹਾ

سلیم گڑھ قلعہ

チャンドニー・チョウク
Chandni Chowk

चाँदनी चौक

ਚਾਂਦਨੀ ਚੌਕ

چاندنی چوک

ディガンバラ・ジャイン・ラール寺院
Digambar Jain Lal Temple

दिगंबर जैन लाल मंदिर

ਜੈਨ ਮੰਦਰ

ڈیگمبر جین لال مندر

グルドワーラー (シク教寺院)	ファティープル・モスク
Gurdwara	Fatehupuri Masjid
गुरुद्वारा	फ़तेहपुरी मस्जिद
ਗੁਰੁਦਵਾਰਾ	ਫਤਿਹਪੁਰੀ ਮਸਜਿਦ
گردوارہ	فتح پوری مسجد

カリ・バオリ	ジャマー・マスジッド
Khari Baoli	Jamma Masjid
खारी बावली	जामा मस्जिद
ਖਾਰੀ ਬਾਉਲੀ	ਜਾਮਾ ਮਸਜਿਦ
کھاری باولی	جامع مسجد

ドーム	イワン
Dome	Iwan
गुंबद	इवान
ਗੁੰਬਦ	ਇਵਾਨ
گنبد	ایوان

ミナレット	ミフラーブ
Minaret	Mihrab
मीनार	मिहराब
ਮੀਨਾਰ	ਮਿਹਰਬ
مینار	محراب

ウルドゥー・バザール Urdu Bazar	ミーナ・バザール Meena Bazar
उर्दू बाज़ार	मीना बाज़ार
ਉਰਦੂ ਬਜ਼ਾਰ	ਮੀਨਾ ਬਜ਼ਾਰ
اردو بازار	مینا بازار
デリー門 Delhi Gate	ダリヤ・ガンジ Darya Ganj
दिल्ली गेट	दरियागंज
ਦਿੱਲੀ ਗੇਟ	ਦਰਿਆ ਗੰਜ
دہلی گیٹ	دریا گنج
スネーリ・マスジッド Sunehri Masjid	ラージ・ガート Raj Ghat
सुनहरी मस्जिद	राज घाट
ਸੁਨਹਿਰੀ ਮਸਜਿਦ	ਰਾਜ ਘਾਟ
سنہری مسجد	راج گھاٹ
ガンジー記念館 Gandhi Memorial Museum	ジャムナ河 Jamuna River
गांधी म्यूज़ियम	यमुना नदी
ਗਾਂਧੀ ਮੈਮੋਰੀਅਲ ਅਜਾਇਬ ਘਰ	ਜਮੁਨਾ ਨਦੀ
گاندھی میوزیم	دریائے یامونا

フィローズ・シャー・コートラ
Firoz Shah Kotla

फिरोज शाह कोटला

ਫ਼ਿਰੋਜ਼ ਸ਼ਾਹ ਕੋਟਲਾ

فیروز شاہ کوٹلہ

アショカ王の石柱
Asoka Pillar

अशोक स्तंभ

ਅਸ਼ੋਕਾ ਪਿੱਲਰ

اشوکا ستون

カシミール門
Kashimir Gate

कश्मीरी गेट

ਕਸ਼ਮੀਰੀ ਗੇਟ

کشمیری گیٹ

グランド・トランク・ロード
Grand Trunk Road

ग्रैंड ट्रंक रोड

ਗ੍ਰੈਂਡ ਟਰੰਕ ਰੋਡ

گرینڈ ٹرنک روڈ

マジュヌ・カ・ティラ（チベット人居住区）
Majnu Ka Tilla

मजनू का तिल्ला

ਟਿੱਬਤੀ ਨਿਵਾਸ ਮਜਨੂ ਕਾ ਟੀਲਾ

مجنوں کا تللا

インド

N

0km   2000km

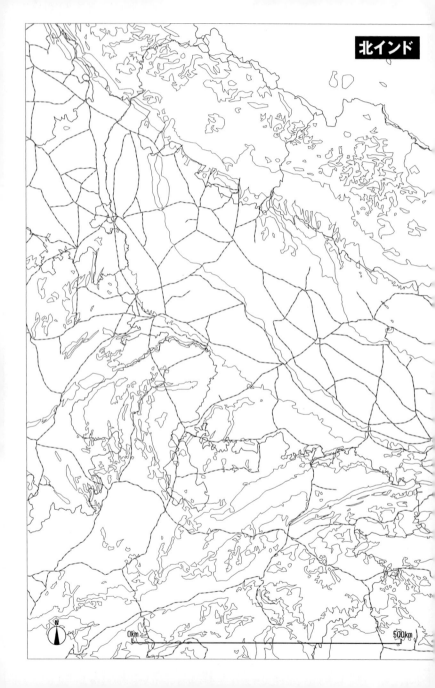

北インド

0km　　　　　　　　　　　　　　　　　　　　500km

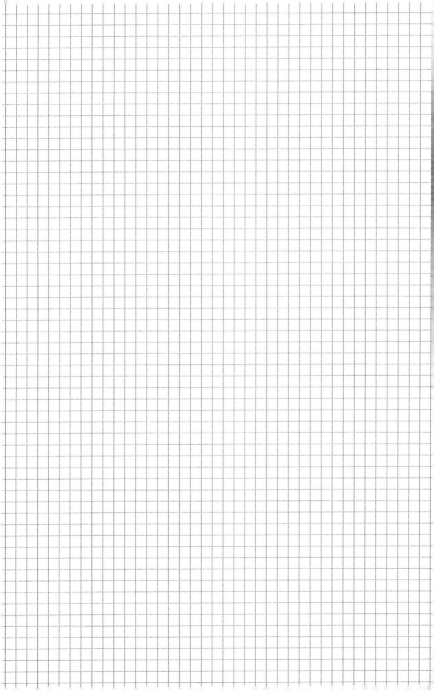

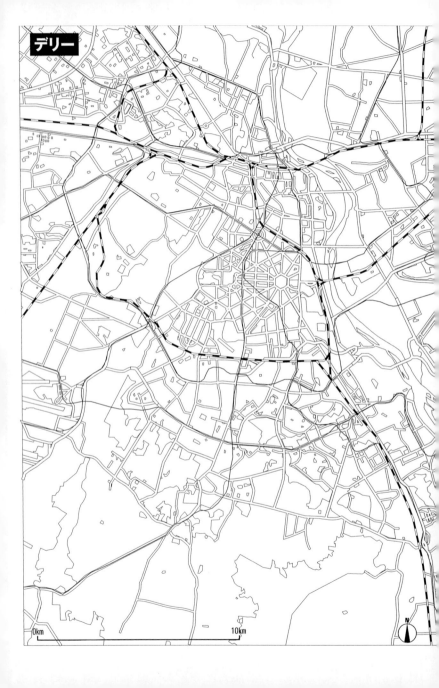

デリー

0km 10km

N

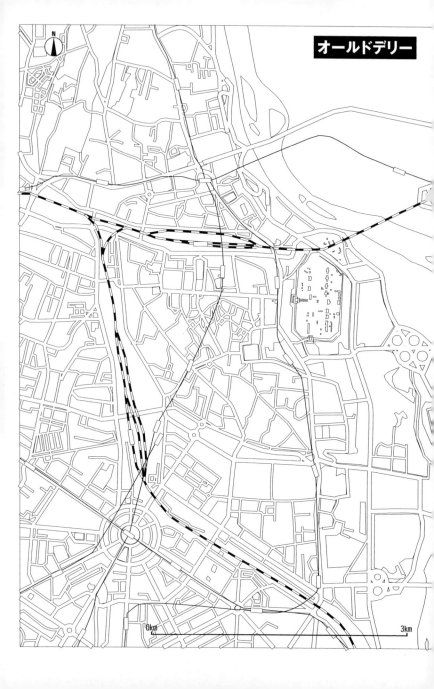

オールドデリー

0km 3km

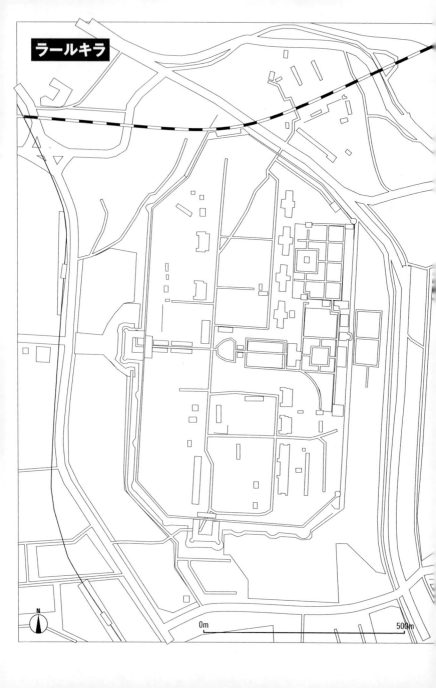

ラールキラ

0m 500m

N

チャンドニーチョウク

ジャマーマスジッド

0m   500m

N

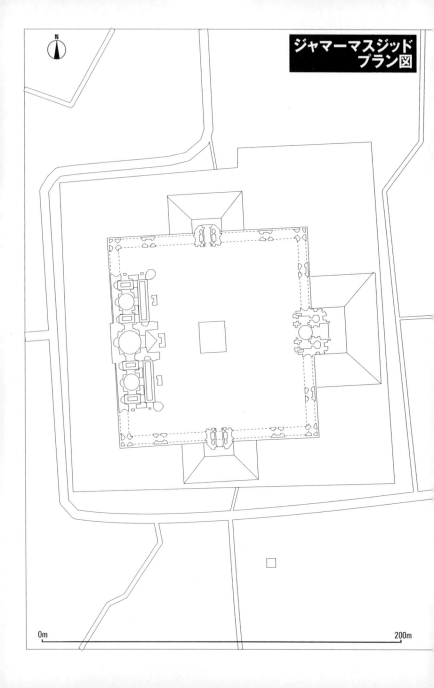

ジャマーマスジッド
プラン図

N

0m   200m

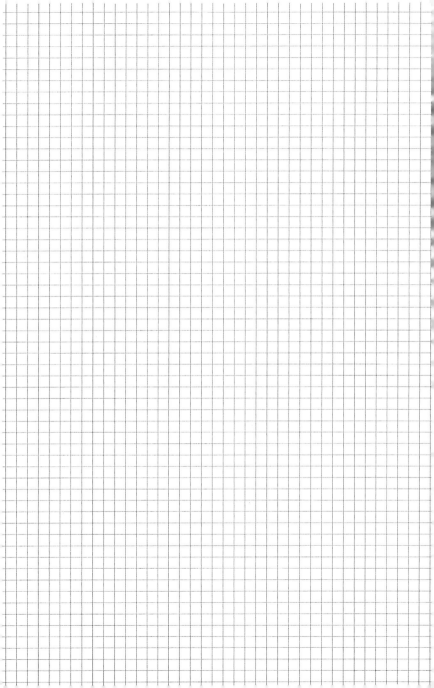

デリー門

0km 2km

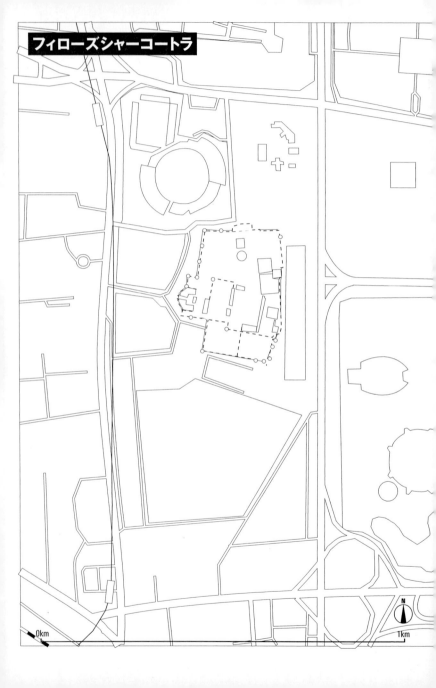

フィローズシャーコートラ

0km   1km

N

カシミール門

N

0km   2km

マジュヌ
カティラ

N

0m   500m

【車輪はつばさ】

南インドのアイラヴァテシュワラ寺院には
建築本体に車輪がついていて
寺院に乗った神さまが
人びとの想いを運ぶと言います

An amazing stone wheel of the Airavatesvara Temple
in the town of Darasuram, near Kumbakonam in the South India

まちごとインド
北インド 003

オールド・デリー
旧城に息づく路地と「ざわめき」
［モノクロノートブック版］

「アジア城市（まち）案内」制作委員会
まちごとパブリッシング
http://machigotopub.com

・本書はオンデマンド印刷で作成されています。
・本書の内容に関するご意見、お問い合わせは、発行元の
　まちごとパブリッシング info@machigotopub.com までお願いします。

まちごとインド
新版 北インド003オールド・デリー
〜旧城に息づく路地と「ざわめき」

2020年 8月15日　発行

著　者	「アジア城市（まち）案内」制作委員会
発行者	赤松　耕次
発行所	まちごとパブリッシング株式会社
	〒181-0013　東京都三鷹市下連雀4-4-36
	URL http://www.machigotopub.com/
発売元	株式会社デジタルパブリッシングサービス
	〒162-0812　東京都新宿区西五軒町11-13
	清水ビル3F
印刷・製本	株式会社デジタルパブリッシングサービス
	URL http://www.d-pub.co.jp/

MP313